Жил-был в Африке маленький слонёнок. Когда он появился на свет, всё слоновье стадо очень обрадовалось.

– У нас такое событие! Такое событие! – радостно трубили взрослые слоны. – Родился маленький слонёнок.

– Маленький? – изумилась пролетавшая мимо птичка. – Ничего себе! Да он же огромный!

– Разве я огромный? – бормотал слонёнок, глядя на маму, которой он даже не доставал до живота. – Нет, я ма-а-аленький.

– Ничего, ты ещё вырастешь, а пока пей молоко. – Мама нежно гладила его длинным хоботом и улыбалась.

– А бивни у меня тоже вырастут? – нетерпеливо спрашивал слонёнок.

– Обязательно вырастут, – кивала слониха.

– И хоботом я научусь пользоваться? – волновался слонёнок.

– Конечно, просто должно пройти время, – утешала его мама.

Больше всего на свете слонёнок любил ходить на водопой к реке. В первый раз он немного испугался, увидев журчащую под ногами воду. Но мама легонько подтолкнула его вперёд.

– Не бойся, иди, – шепнула она.

И уже через несколько минут счастливый слонёнок не только плескался у берега, но и заплывал на глубину.

— Я могу плавать, как рыба! — махал ушами слонёнок. — Смотрите все! Я плыву!

— Действительно, плывёт, — шептались маленькие рыбки. — Такой большой, тяжёлый, а не тонет.

Слоновье стадо жило очень дружно, о маленьких все заботились и оберегали их. Главной в стаде была старая слониха. А самцов вообще не было, они жили отдельно.

Слонёнок был очень добрым, и ему нравилось, что не надо ни на кого охотиться. Он пил мамино молоко долго-долго, несколько лет. Старая слониха, которая в стаде была вожаком, сказала, что слонята растут и взрослеют четыре года и только потом начинают обходиться без молока, питаясь, как большие слоны, только травой, плодами и корешками.

Однажды слонёнок отбился от стада и отправился погулять. На опушке он заметил дерево с дуплом.

– Интересно, кто там живёт? – Любопытный слонёнок залез в дупло хоботом и принюхался. – Вроде пусто.

– Р-р-р, вот и мой обед, – радовался тем временем леопард, притаившийся за кустами.

Он тихонько вышел из укрытия и начал подкрадываться. И тут слонёнок, словно почувствовав опасность, оглянулся.

– Помогите! Спасите! – затрубил малыш. – Мама-а-а-а!

Слонёнок надеялся, что его жалобный зов услышат большие слоны и придут на помощь.

Так и вышло. Земля задрожала – это на выручку крохе спешило всё стадо. Конечно, слоны не были хищниками, они не могли съесть своего врага, но зато могли затоптать.

Стадо разъярённых слонов – это очень страшно. Леопард в ужасе прижал уши и бросился наутёк.

– Мама, когда же я вырасту? – жалобно спрашивал слонёнок, глядя, как взрослые дотягиваются длинными хоботами до самых высоких веток. – Когда я смогу есть листья с верхушки дерева?

– Слоны растут очень долго, потерпи. А пока я буду доставать для тебя самые вкусные листочки, – улыбалась мама. – Когда ты станешь взрослым, у тебя будет такой же сильный и длинный хобот, ты сможешь не только доставать до макушек деревьев, но и поднимать брёвна.

– А катать на хоботе маленьких слонят я тоже смогу? – хихикнул слонёнок.

– Конечно! Пойдём поплаваем. – Мама легко подхватила малыша и поплыла, загудев, как пароход.

– Давай обгоним утку! – замахал ушами слонёнок.

– Давай, – рассмеялась мама и поплыла ещё быстрее.

Когда слоны собирались спать, они становились вплотную друг к другу, пряча слонят от опасности. Ведь когда все спят, может подкрасться и лев, и леопард, и даже охотники с ружьями.

Вот только спали слоны очень мало, всего по два-три часа.

– Надо же, как я быстро высыпаюсь, – радовался слонёнок, проснувшись. – Чем меньше спишь, тем длиннее и веселее день!

Шли годы. Слонёнок становился всё больше, всё умнее. Он уже знал, что нужно валяться в грязи, чтобы она потом высыхала и защищала кожу от кусачих мошек, научился пользоваться хоботом так же ловко, как мама. А ещё он понимал, что когда станет совсем большим, придётся уйти из стада и жить самостоятельно.

А это значило, что впереди слонёнка ждали новые приключения.